海底小纵队™ 探险记

英国 Vampire Squid Productions 有限公司/著绘　海豚传媒/编译

水滴鱼兄弟

长江出版传媒 | 长江少年儿童出版社

图书在版编目（CIP）数据

水滴鱼兄弟 / 英国 Vampire Squid Productions 有限公司著绘；海豚传媒编译. -- 武汉：长江少年儿童出版社，2015.10
（海底小纵队探险记）
ISBN 978-7-5560-3315-7

Ⅰ.①水… Ⅱ.①英… ②海… Ⅲ.①儿童文学—图画故事—英国—现代 Ⅳ.①1561.85

中国版本图书馆 CIP 数据核字 (2015) 第 209621 号
著作权合同登记号：图字 17-2015-212

水滴鱼兄弟

英国 Vampire Squid Productions 有限公司 / 著绘

海豚传媒 / 编译

责任编辑 / 傅一新　佟　一

装帧设计 / 钮　灵　美术编辑 / 张　欢

出版发行 / 长江少年儿童出版社

经　　销 / 全国新华书店

印　　刷 / 广东广州日报传媒股份有限公司印务分公司

开　　本 / 889×1194　1 / 20　5印张

版　　次 / 2017年5月第1版第3次印刷

书　　号 / ISBN 978-7-5560-3315-7

定　　价 / 16.80元

策　　划 / 海豚传媒股份有限公司（17101715）

网　　址 / www.dolphinmedia.cn　　邮　　箱 / dolphinmedia@vip.163.com

阅读咨询热线 / 027-87391723　　销售热线 / 027-87396822

海豚传媒常年法律顾问 / 湖北珞珈律师事务所　王清　027-68754966-227

本故事由英国 Vampire Squid Productions 有限公司出品的动画节目所衍生，OCTONAUTS 动画由 Meomi 公司的原创故事改编。
中国版权运营：北京万方幸星数码科技有限公司 授权热线：（北京）010-64381191

生命因探索而精彩

这是一部昭示生命美学与生态和谐的海洋童话，

这是一首承载生活教育与生存哲学的梦幻诗篇。

神秘浩瀚的海底世界，

能让孩子窥见物种诞生和四季交替，感受大自然生生不息的美感与力度；

引导他们关爱生命，关注生态平衡与绿色环保的重大现实。

惊险刺激的探险旅途，

能让孩子在因缘际会中，感知生活的缤纷底色与不可预知的精彩；

引领他们构建自我知识与品格系统，充盈成长的内驱力。

每一次完美的出发，

都是对生命的勇敢探索，更是对生活的热情礼赞！

人物档案

巴克队长

Captain Barnacles

巴克是一只北极熊,他是读解地图和图表的专家,探索未知海域和发现未知海洋生物是他保持旺盛精力的法宝。他勇敢、沉着、冷静,是小纵队引以为傲、值得信赖的队长,他的果敢决策激励着每一位成员。

呱唧

Kwazii

呱唧是一只冲动的橘色小猫,有过一段神秘的海盗生涯。他性格豪放,常常会讲起自己曾经的海盗经历。呱唧热爱探险,将探险家精神展现得淋漓尽致。虽然他是只猫咪,但他从不吃鱼哟!

皮医生

Peso

皮医生是一只可爱的企鹅。他是小纵队的医生,如果有人受伤,需要救治,他会全力以赴。他的勇气来自一颗关爱别人的心,无论是大型海洋动物还是小小浮游生物,都很喜欢皮医生。

谢灵通

Shellington

谢灵通是一只海獭,随身携带着一个用来观察生物的放大镜。他博学多识,无所不知,常常能发现队友们所忽略的关键细节。不过,他有时候容易分心,常常被新鲜事物所吸引。

达西西
Dashi

达西西是一只腊肠狗，她是小纵队的官方摄影师。她拍摄的影像是海底小纵队资料库中必不可少的一部分，而且还纳入了章鱼堡电脑系统的档案中。

突突兔
Tweak

突突兔是小纵队的机械工程师，负责维护和保养小纵队所有的交通工具。为了小纵队的某项特殊任务，突突兔还要对部分机械进行改造。她还热衷于发明一些新奇的东西，这些发明有时能派上大用场。

小萝卜
Tunip

小萝卜和其他六只植物鱼是小纵队的厨师，负责小纵队全体成员的饮食等家政服务，还管理着章鱼堡的花园。植物鱼们有自己独特的语言，这种语言只有谢灵通才能听得懂。

章教授
Professor Inking

章教授是一只小飞象章鱼，左眼戴着单片眼镜，很爱读书，见多识广。当队员们出去执行任务的时候，他会待在基地负责联络工作。

目录 CONTENTS

海底小纵队与白化座头鲸

黎明将至未至的时候，海底还是一片寂静。章鱼堡里，已经醒来的皮医生正靠在床上看书。突然，一阵声响传来，他放下书四处张望，可是什么也没发现。

正当他拿起书准备继续看的时候，又传来了同样的声音。这次，他能断定声音是从柜子里传来的。他拉开柜子，低头一看，原来是植物鱼。他们玩得正开心，还将绷带弄得到处都是。

植物鱼离开后，皮医生拿起书准备继续看，这时，又传来了奇怪的声音。皮医生扭头望去，他惊呆了，外面有个庞然大物。皮医生赶紧打开门，通过章鱼堡滑道，赶往基地总部。

其他小纵队成员也发现了这一异常情况，纷纷赶到了基地总部。

皮医生一到就叫道："队，队，队长！我看见……外面……有一只……"皮医生似乎被吓坏了。随后赶来的突突兔是被大家的声

yīn chǎo xǐng de   tā hái bù zhī dào chū le shén me shì   máng wèn dào   nǐ men huāng shén me ya
音吵醒的，她还不知道出了什么事，忙问道："你们慌什么呀？"

wài bian yǒu gè dà jiā huo   bā kè duì zhǎng gào su tū tū tù   wǒ kàn jiàn le   tā chāo
"外边有个大家伙！"巴克队长告诉突突兔。"我看见了！他超

jí dà   bái sè de   ér qiě hái fā chū wū wū de shēng yīn   pí yī shēng bǔ chōng dào
级大，白色的，而且还发出呜呜的声音。"皮医生补充道。

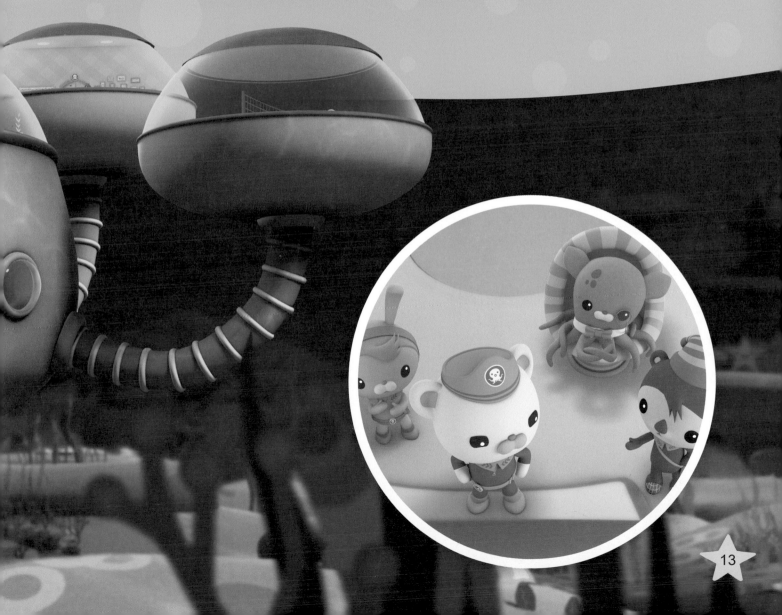

13

14

"队长，看这个！"达西西冲了进来，"我抓拍到了一张照片！"

皮医生看到照片立刻叫道："就是他！"谢灵通认为这是一只大鲸鱼，而呱唧则有不同的看法，"那可不是普通的鲸鱼，那是一只幽灵鲸鱼！"

"不管是什么，他的声音听起来很悲伤，好像是受伤了。"皮医生说。巴克队长让呱唧按响章鱼警报，通知大家立刻前往发射台。

大家都到齐后，巴克队长宣布："海底小纵队，我们一起帮助这只'幽灵鲸鱼'吧。"

zhè cì tū tū tù wèi dà jiā zhǔn
这次突突兔为大家准

bèi le yōu líng qián shuǐ jìng zhè jiàn bǎo
备了幽灵潜水镜。"这件宝

wù kě yǐ ràng nǐ kàn dào dòng wù shēn shang sàn fā
物可以让你看到动物身上散发

de rè liàng tū tū tù xiàng dà jiā jiě shuō
的热量！"突突兔向大家解说。

tài bàng le guā jī còu dào yōu líng qián shuǐ jìng
"太棒了！"呱唧凑到幽灵潜水镜

qián zhǐ jiàn dà jiā dōu biàn chéng le jú hóng sè
前，只见大家都变成了橘红色。

zhǔn bèi hǎo hòu bā kè duì zhǎng dài zhe guā
准备好后，巴克队长带着呱

jī hé pí yī shēng qǐ háng le guā jī zuò zài fù
唧和皮医生起航了。呱唧坐在副

jià shǐ wèi zhì shang tòu guò yōu líng qián shuǐ jìng guān chá
驾驶位置上透过幽灵潜水镜观察

zhōu wéi de qíng kuàng nà zhī jīng yú kěn dìng jiù zài
周围的情况。"那只鲸鱼肯定就在

zhè fù jìn guā jī tuī duàn dào
这附近……"呱唧推断道。

16

突然，呱唧发现了什么，"停！那个珊瑚礁上有奇怪的热气冒出来！"巴克队长决定出去侦察一番，他们戴好头盔，从灯笼鱼艇里出来，来到了珊瑚礁附近。呱唧发现珊瑚礁上有一个洞，他向洞里望去，一股热气从里面冒出来，他吓得跌坐在珊瑚礁上。

zhè ge shān hú jiāo kàn qǐ lái yǒu xiē qí guài pí yī shēng jiē kāi bèi ké fā xiàn xià miàn shì bái
这个珊瑚礁看起来有些奇怪。皮医生揭开贝壳，发现下面是白

sè de guā jī yě yòng lì chě le chě jiǎo biān de bèi ké tū rán shān hú jiāo dòng le bā kè duì zhǎng
色的，呱唧也用力扯了扯脚边的贝壳。突然，珊瑚礁动了，巴克队长

fā xiàn zhè bú shì shān hú jiāo lián máng dài zhe dà jiā tiào dào le yí kuài yán shí shang
发现这不是珊瑚礁，连忙带着大家跳到了一块岩石上。

zhàn dìng hòu　　dà jiā fā xiàn nà
站定后，大家发现那

kuài shān hú jiāo dòng le qǐ lái　yǎn rán jiù
块珊瑚礁动了起来，俨然就

shì páng rán dà wù　　pí yī shēng jiào dào
是庞然大物。皮医生叫道：

yōu líng jīng yú
"幽灵鲸鱼！"

　　　　yōu líng　　nǐ shuō wǒ shì yōu
"幽灵？你说我是幽

líng　wǒ shì yì tóu zuò tóu jīng　zhǐ shì
灵？我是一头座头鲸！只是

pèng qiǎo shì bái sè de　　zhè ge páng rán dà
碰巧是白色的。"这个庞然大

wù jiě shì dào　guā jī tīng le　xiào zhe
物解释道。呱唧听了，笑着

dǎ qù dào　"hěn hǎo　bú guò nǐ shì fěn
打趣道："很好，不过你是粉

sè de
色的！"

wǒ de bèi shài shāng le   nǐ men zài shàngmiàn pá lái pá qù   wǒ hěn nán shòu   zuò tóu jīng

"我的背晒伤了，你们在上面爬来爬去，我很难受！"座头鲸

shuō   pí yī shēng tīng le xīn téng jí le   zuò tóu jīng jiē zhe shuō dào   dōu guài wǒ   zuó tiān wǒ zài jiē

说。皮医生听了心疼极了。座头鲸接着说道："都怪我！昨天我在接

jìn hǎi miàn de dì fang dāi tài jiǔ le

近海面的地方待太久了。"

21

其实，座头鲸也知道应该在远离阳光的海底待着。可是，他不能憋气太久。现在，太阳马上就要出来了。皮医生赶紧从医药箱里拿出100毫升的白鲸专用晒伤舒缓膏，准备给座头鲸抹上。巴克队长、呱唧和皮医生都帮忙抹药膏。

药膏很快就用完了，而座头鲸太大，还没有抹遍全身。巴克队长研究了一下药膏成分，说道："水、海泥、蘑菇珊瑚……"

"蘑菇珊瑚！"呱唧大叫道，"当我还是一个海盗的时候，我就用过蘑菇珊瑚防晒。它喜欢长在阴凉的地方！我们去找蘑菇珊瑚吧！"

"好极了！"巴克队长说道。考虑到在天亮前没有足够的时间去找到蘑菇珊瑚，再把它带回来。他们决定带着座头鲸一起去。

可是座头鲸晒伤了，不能自己游那么远。该怎么办呢？巴克队长有了主意，他立刻联系突突兔，让她出动蓝鲸艇、虎鲨艇、魔鬼鱼艇和孔雀鱼艇，带着大家帮助座头鲸去找蘑菇珊瑚。

他们的目的地是浅滩，博学的谢灵通知道浅滩上会有蘑菇珊瑚，而且他还从书上得知这头座头鲸得了白化病。

"太神奇了，一头得了白化病的座头鲸！"皮医生不理解什么是白化病。

"这种病十分罕见。"谢灵通解释道。

不一会儿，座头鲸就感到难以呼吸，他要去透透气。大家一起加大动力，带着座头鲸去海面透气。之后他们又回到水下，加速前进。终于快到浅滩了，可是，一群乌贼拦住了他们的去路。

时间紧迫，大家来不及绕道而行。巴克队长思考再三，决定紧急下降，从下面穿过去。"一、二、三！"队长喊完，所有的潜艇极速下降，然后向前冲去。

终于到了目的地，座头鲸高兴地夸赞他们："驾驶技术真不错！""干得漂亮，海底小纵队，但是我们接下来还有很多事情要做！"巴克队长时刻不忘提醒大家，先将重要的事情做完。大家赶紧拿了些蘑菇珊瑚放在座头鲸身上。

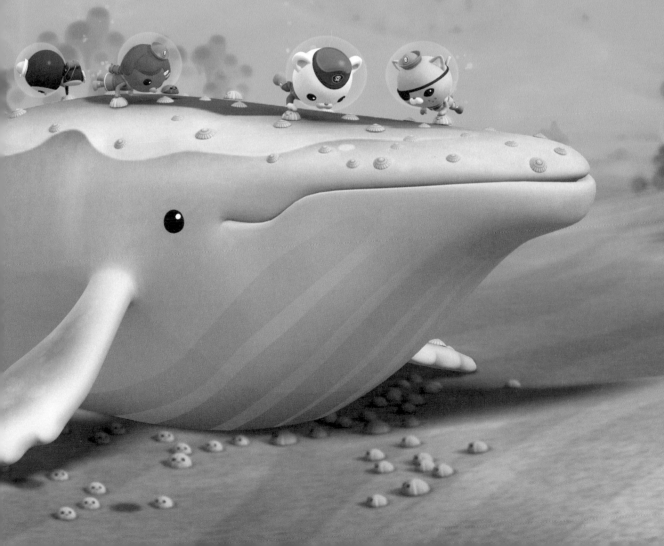

接下来，就要将蘑菇珊瑚产生的液体涂在座头鲸身上了。皮医生有些担心："我们不会把珊瑚弄坏吧！"

谢灵通回答道："蘑菇珊瑚很坚强，它们不附着在任何东西上，随时准备好搬家。"皮医生这才放下心来。

大家继续涂抹，植物鱼
甚至在上面玩起了游戏，他
们踩着蘑菇珊瑚在座头鲸背
上滑行。很快，工作就完
成了，"再来一点儿，好啦，
大功告成！"巴克队长高兴
地喊道。

座头鲸高兴地说道：
"哈，珊瑚还能防晒，我以
前都不知道它还有这个功
能！"呱唧听了，笑着打趣
道："我也不知道鲸鱼还有
白色和粉红色的！"

zuò tóu jīng méi yǒu lǐ huì guā jī
座头鲸没有理会呱唧

de wán xiào　xiào zhe shuō dào　　xiè
的玩笑，笑着说道："谢

xie　　wǒ xiàn zài gǎn jué hǎo duō le
谢，我现在感觉好多了。"

shuō zhe　　　tā kuài lè de yóu le qǐ
说着，他快乐地游了起

lái　　nǐ men kě zhēn bàng
来，"你们可真棒！"

皮医生温柔地提醒他要小心，不要在太阳底下晒太久。

马上就要分开了，皮医生送了一张 OK 绷给座头鲸。

擅长摄影的达西西提议大家一起照个相，于是大家一起拍了一张非常完美的照片。

欢迎进入本期海底报告，这次我们要介绍的是**座头鲸**！

座头鲸在海里生活
它们像我们一样呼吸
如果座头鲸太阳晒太多
它们的皮肤就会被晒伤
它们中有些皮肤白
白化病意思是
皮肤从头到尾都是白

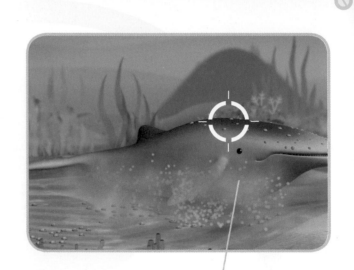

海底小纵队与水滴鱼兄弟

章鱼堡里，皮医生正在给巴克队长和呱唧介绍自己的家人。"这是我的弟弟宾托。"皮医生翻到第一张照片说道。接着，他又翻到第二张照片说："这是我的哥哥，皮果。"

38

"你的弟弟宾托真可爱，你和皮果长得好像呀！"巴
克队长说道。皮医生又打开一张照片说："这是我！"

"照得真好，伙计！"呱唧赞赏道。

zhè shí   pí yī shēng yòu dǎ kāi yì zhāng quán jiā zú de hé yǐng   shuō   zhè shì wǒ   bīn tuō
这时，皮医生又打开一张全家族的合影，说："这是我、宾托、

pí guǒ   pí nà tǎ   nǎi nai pí dì tǎ   jiù jiu pí pí   jiù mā pí pí tǎ   biǎo mèi pí tī
皮果、皮娜塔、奶奶皮蒂塔、舅舅皮皮、舅妈皮皮塔、表妹皮踢

tǎ   āi yā   zhè me duō qīn qi   guā jī shuō zhe cóng shā fā shang zhàn qǐ shēn lai
塔……""哎呀，这么多亲戚！"呱唧说着从沙发上站起身来。

突然，大屏幕上的照片变成了达西西，"达西西呼叫，请队长尽快来到基地总部，这儿出事了。"

巴克队长听到后，和呱唧、皮医生一起来到基地总部。达西西指着大屏幕上的图像说："这附近有个火山，看样子要爆发了。"

41

"火山？可我们明明在海底啊。"皮医生有点儿不相信。

"海底也有火山的，皮医生。"谢灵通转过身来说道。通过监测，谢灵通得知火山就在大家脚下，马上就要爆发了。

幸好火山埋得很深，章鱼堡暂时很安全，但巴克队长很担心火山附近的动物们。于是巴克队长对大家说道："队员们，我们要尽快将所有的动物从火山区转移出来。"

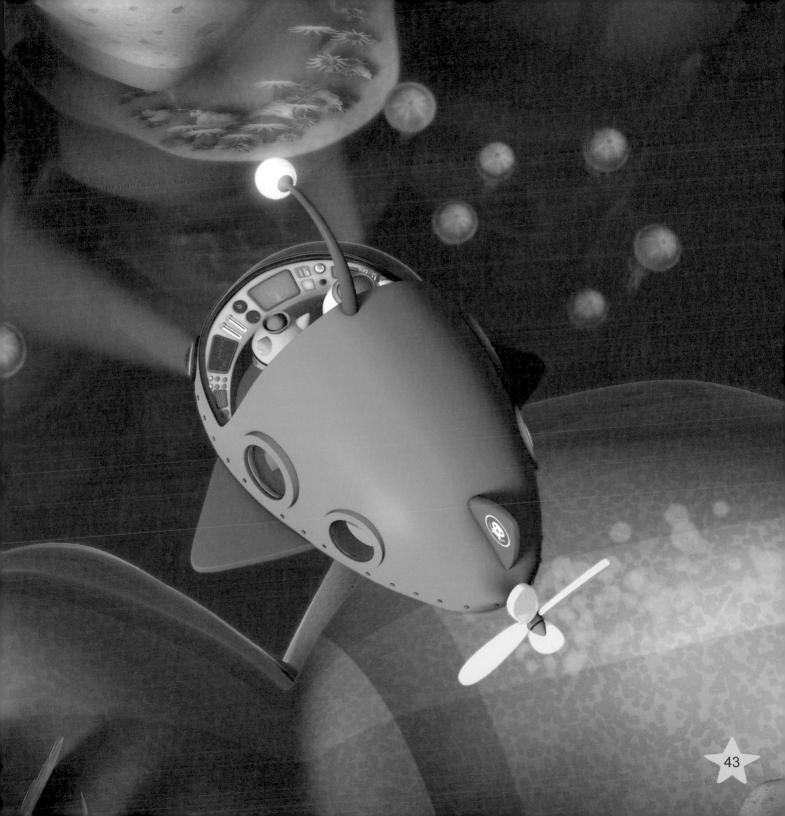

随后，巴克队长带着呱唧和皮医生登上了灯笼鱼艇，前往火山附近。行驶一段时间后，巴克队长说："我们应该接近火山了。"皮医生走到窗前，查看外部的情况，"看，它就在那儿！"皮医生指着不远处说道。

巴克队长连忙驾驶着鱼艇驶向那座火山。这时，鱼艇的控制台传来谢灵通的声音："呼叫巴克队长，火山温度在上升，岩浆也在上涌。我们得抓紧时间了。"

"明白，谢灵通！"说完巴克队长驾驶着鱼艇加速向火山驶去。

45

　　没过多久，灯笼鱼艇就来到了火山脚下。"大家注意，我是海底小纵队的巴克队长，你们必须马上离开这里，火山就快爆发了！"巴克队长严肃地说道。

yì qún fěn sè de xiǎo yú tīng dào hòu   jiān jiào zhe yóu zǒu le   yǒu yì zhī hún shēn zhǎng mǎn le cì
一群粉色的小鱼听到后，尖叫着游走了。有一只浑身长满了刺

de hǎi dǎn yì biān pīn mìng de wǎng qián rú dòng   yì biān shuō   pǎo   pǎo   wǒ pǎo bú kuài
的海胆一边拼命地往前蠕动，一边说："跑，跑……我跑不快。"

47

从鱼艇显示屏上看到这一幕的皮医生很担心。巴克队长想到了办法——穿上深海潜水服，去帮助那些动物。

"呱唧，你来转移海胆。"巴克队长递给呱唧一把夹子。然后又拿出一个捕捞网对皮医生说："皮医生，用这个帮助其他软体动物。"

他们立刻离开灯笼鱼艇，来到海水里。皮医生手拿捕捞网，在火山附近寻找软体动物。

49

huǒ shān shēn mái zài hǎi dǐ   suǒ yǐ zhè yí dài shuǐ yù fēi cháng hūn
火山深埋在海底，所以这一带水域非常昏

àn   xìng kuī bā kè duì zhǎng zài chū fā qián dǎ kāi le dēng long yú tǐng zuì liàng
暗，幸亏巴克队长在出发前打开了灯笼鱼艇最亮

de zhào míng dēng   guā jī hé pí yī shēng jiè zhù dēng guāng xún zhǎo xū yào bāng zhù
的照明灯。呱唧和皮医生借助灯光寻找需要帮助

de dòng wù
的动物。

hǎi dǎn men guā jī lái jiù nǐ men la zǒu nǐ
"海胆们，呱唧来救你们啦，走你！"

guā jī shuō zhe yòng jiā zi jiā qǐ hún shēn dài cì de hǎi dǎn jiāng tā
呱唧说着用夹子夹起浑身带刺的海胆，将他

men dài wǎng lí huǒ shān yuǎn yì diǎn er de shuǐ yù
们带往离火山远一点儿的水域。

xiè xie nǐ hǎi dǎn men gǎn jī de shuō dào
"谢谢你！"海胆们感激地说道。

51

pí yī shēng zài huǒ shān de lìng yì biān fā xiàn le yì
皮医生在火山的另一边发现了一

zhī pā zài dì shang de hǎi shēn   ā hā   zhè er yǒu zhī
只趴在地上的海参，"啊哈，这儿有只

hǎi shēn   tā kàn qi lai xū yào wǒ de bāng zhù   bié hài
海参，他看起来需要我的帮助。别害

pà   wǒ shì lái bāng nǐ de
怕，我是来帮你的！"

pí yī shēngyòng bǔ lāo wǎngqīng qīng de jiāng hǎi
皮医生用捕捞网轻轻地将海

shēnwǎng zhù   bǎ tā dài dào yuǎn chù de jiāo shí shang
参网住，把他带到远处的礁石上。

wā   tài kù le   zuò zài wǎng li de hǎi
"哇，太酷了！"坐在网里的海

shēn kàn zhe chuān zhe jú huáng sè qián shuǐ fú de pí yī
参看着穿着橘黄色潜水服的皮医

shēngshuō dào
生说道。

"救命，我们动不了！"巴克队长听到了呼救，连忙游过去查看。"我们蛤蜊天生就要附在石头上。"原来是一群蛤蜊，他们附在石头上无法动弹。

"别担心，我把这个石头一起移走。"巴克队长说着用双手抬起那块大石头。虽然石头很重，但是巴克队长还是咬牙将它搬离了火山区。"太棒了，真是太感谢你了！"蛤蜊们纷纷说道。

55

呱唧和皮医生继续在火山附近忙碌着。在火山口，皮医生看到一条形状有点奇怪的小鱼。他刚准备张口，那只小鱼却说："嘘！"

说完后不知吞下了什么，然后对皮医生说："嗯，美味。我是水滴鱼，这顿午餐，我已经等了好几个小时！"

然后水滴鱼做起了自我介绍，原来他叫波波，他还有两个兄弟，也叫波波，他们一直在一起。

皮医生告诉他们火山即将爆发，要他们赶紧离开。就在这时，巴克队长呼叫皮医生："皮医生，这儿有人受伤了。"皮医生听了连忙赶过去，原来是一只章鱼的触手被石头压住了。巴克队长和呱唧合力将石头搬开，皮医生对那只触手进行了包扎。然后，呱唧带章鱼远离了火山区。

这时，谢灵通呼叫巴克队长，告诉他火山五分钟后就要爆发了。

59

bā kè duì zhǎng lì kè xià lìng   zài jiǎn chá yí biàn   què bǎo suǒ yǒu dòng wù dōu lí kāi le
巴克队长立刻下令："再检查一遍，确保所有动物都离开了，

wǔ fēn zhōng hòu dēng long yú tǐng jiàn
五分钟后灯笼鱼艇见！"

pí yī shēng zài jiǎn chá shí fā xiàn shuǐ dī yú xiōng dì hái méi yǒu lí kāi   tā zhè cái zhī dào shuǐ dī
皮医生在检查时发现水滴鱼兄弟还没有离开，他这才知道水滴

yú jiù xiàng guǒ dòng yí yàng   méi yǒu jī ròu   yóu sù hěn màn   tā lián máng hū jiào bā kè duì zhǎng   bā
鱼就像果冻一样，没有肌肉，游速很慢。他连忙呼叫巴克队长，巴

kè duì zhǎng mìng lìng měi gè rén fù zé jiāng yì zhī shuǐ dī yú dài lí huǒ shān qū
克队长命令每个人负责将一只水滴鱼带离火山区。

皮医生连忙将一只水滴鱼带走，呱唧游向另一只水滴鱼。

"砰！"火山爆发了，就在滚烫的岩浆流出来的一刹那，他们从火山口逃了出来。

巴克队长一行人带着水滴鱼兄弟钻进了灯笼鱼艇，发动鱼艇向上方冲去。

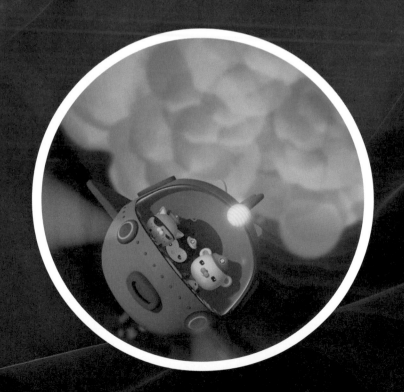

huǒ shān pēn fā de yuè lái yuè lì hai　bú duàn
火山喷发得越来越厉害，不断

yǒu suì shí diào luò xia lai　　bā kè duì zhǎng jià shǐ zhe
有碎石掉落下来。巴克队长驾驶着

dēng long yú tǐng　zài lí huǒ shān hěn yuǎn de jiāo shí shang
灯笼鱼艇，在离火山很远的礁石上

zhuó lù　　bù yuǎn chù jiù shì zhāng yú bǎo
着陆，不远处就是章鱼堡。

gàn de piào liang　dùi yuán men　　bā kè
"干得漂亮，队员们！"巴克

duì zhǎng kāi xīn de shuō dào
队长开心地说道。

63

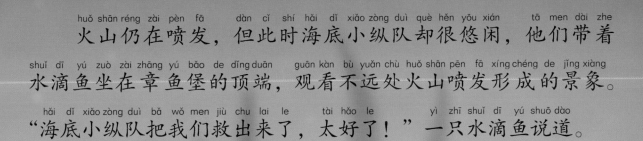

huǒ shān réng zài pēn fā　　dàn cǐ shí hǎi dǐ xiǎo zòng duì què hěn yōu xián　　tā men dài zhe
火山仍在喷发，但此时海底小纵队却很悠闲，他们带着

shuǐ dī yú zuò zài zhāng yú bǎo de dǐng duān　　guān kàn bù yuǎn chù huǒ shān pēn fā xíng chéng de jǐng xiàng
水滴鱼坐在章鱼堡的顶端，观看不远处火山喷发形成的景象。

hǎi dǐ xiǎo zòng duì bǎ wǒ men jiù chu lai le　　tài hǎo le　　yì zhī shuǐ dī yú shuō dào
"海底小纵队把我们救出来了，太好了！"一只水滴鱼说道。

shì a　　zhēn shi yào gǎn xiè pí yī shēng　　wǒ xiǎng jīng cháng lái
"是啊，真是要感谢皮医生。我想经常来

chuàn mén　　dàn shì dòng yí dòng duì wǒ men lái shuō tài nán le　　lìng wài yì
串门，但是动一动对我们来说太难了。"另外一

zhī shuǐ dī yú dá dào
只水滴鱼答道。

bú kè qi　　pí yī shēng huí dá dào　　dà jiā dōu
"不客气！"皮医生回答道，大家都

kāi xīn de xiào le qǐ lái
开心地笑了起来。

65

海底报告

欢迎进入本期海底报告，这次我们要介绍的是**水滴鱼**！

水滴鱼们深海寻
游起泳来慢慢移
胶质构成骨与肉
脸庞肚子憨可掬
终日躺着晕沉沉
等着食物天上掉

海底小纵队与海底午夜区

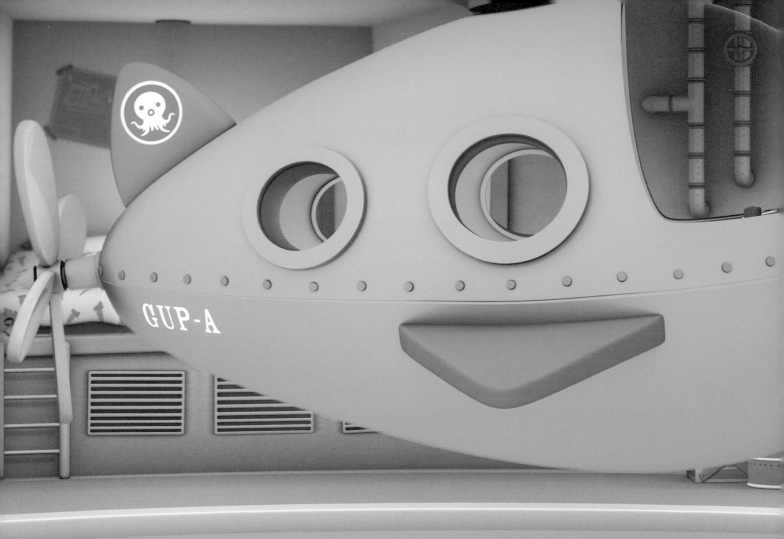

"扳手、螺丝刀……"美丽的章鱼堡里，突突兔正在检修灯笼鱼艇，植物鱼将工具一件件快速地递给她。这时，巴克队长匆忙地走过来问道："灯笼鱼艇准备好了吗，突突兔？"

"准备好了，队长。"突突兔自信地回道，她按了一下操控按钮。

zhǐ jiàn dēng long yú tǐng wěn wěn de tíng zài le chū fā qū　　bā kè duì zhǎng qǐ dòng
只见灯笼鱼艇稳稳地停在了出发区。巴克队长启动

zhāng yú jǐng bào　　tōng zhī hǎi dǐ xiǎo zòng duì xùn sù zài fā shè tái jí hé
章鱼警报，通知海底小纵队迅速在发射台集合。

duì yuán men　　　wǒ men jīn tiān de rèn wu shì tàn suǒ hǎi yáng dǐ bù　　wán chéng yì běn shū　　bā
"队员们，我们今天的任务是探索海洋底部，完成一本书。"巴

kè duì zhǎng zhǐ le zhǐ xiè líng tōng shǒu li de shū
克队长指了指谢灵通手里的书。

xiè líng tōng jiě shì dào　　　zhè shì yì běn méi yǒu wán chéng de wǔ yè qū zhǐ nán
谢灵通解释道："这是一本没有完成的午夜区指南。"

wǔ yè qū　　tīng qǐ lai hěn hēi hěn xià rén　　　pí yī shēng jǐn zhāng de jiē huà dào
"午夜区？听起来很黑很吓人！"皮医生紧张地接话道。

méi cuò   huǒ ji   wǔ yè qū shì hǎi dǐ hěn shēn de dì fang   lián yáng guāng dōu zhào bú dào
"没错，伙计，午夜区是海底很深的地方，连阳光都照不到。"

guā jī zǒng shì xǐ huan zēng jiā duì yǒu de jǐn zhāng qíng xù
呱唧总是喜欢增加队友的紧张情绪。

zài zhè běn shū li   wǒ miáo shù le hěn duō wǔ yè qū de shén qí shēng wù   xiè líng tōng jiāng shū
"在这本书里，我描述了很多午夜区的神奇生物，"谢灵通将书

wǎng hòu fān le jǐ yè   jì xù shuō dào   dàn shì   hòu miàn hái yǒu hěn duō kòng bái yè ne
往后翻了几页，继续说道，"但是，后面还有很多空白页呢。"

这一次大家的任务就是跟随巴克队长，找到那些没人见过的生物，完善这本指南。

"因为下面太黑了，所以我给灯笼鱼艇加装了一盏灯，来帮助你们探路。"突突兔说道。原来，突突兔今天一直在忙这件事情。突突兔又提醒道："如果潜艇上的灯开始闪烁，就说明快没电了，大家得赶快回来。"

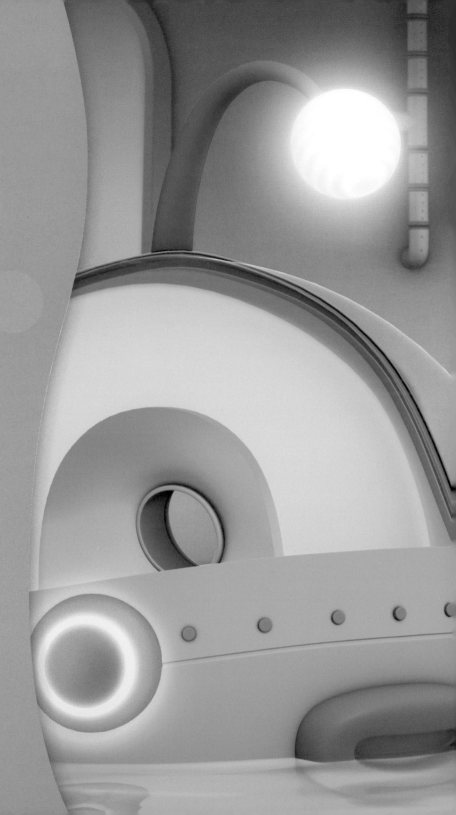

"谢灵通、皮医生、呱唧，穿上深海潜水服。"等突突兔讲

解完毕，巴克队长喊道，"大家准备好了吗？"

"好了，队长！"大伙儿齐声答道。很快，灯笼鱼艇就载着

他们驶出了章鱼堡。

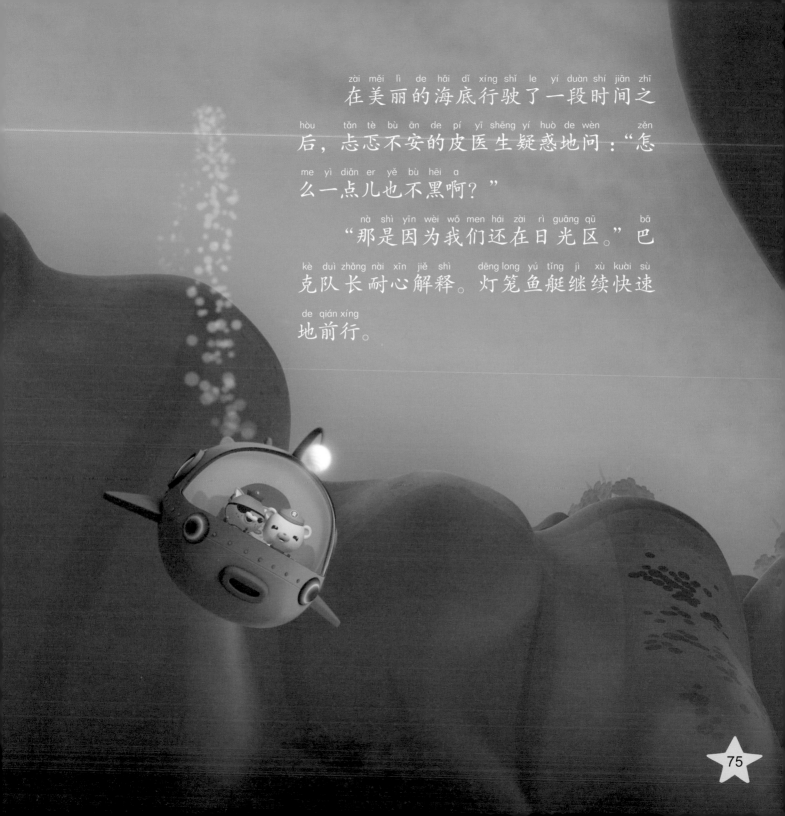

zài měi lì de hǎi dǐ xíng shǐ le yí duàn shí jiān zhī
在美丽的海底行驶了一段时间之

hòu tǎn tè bù ān de pí yī shēng yí huò de wèn zěn
后，忐忑不安的皮医生疑惑地问："怎

me yì diǎn er yě bù hēi a
么一点儿也不黑啊？"

nà shì yīn wèi wǒ men hái zài rì guāng qū bā
"那是因为我们还在日光区。"巴

kè duì zhǎng nài xīn jiě shì dēng long yú tǐng jì xù kuài sù
克队长耐心解释。灯笼鱼艇继续快速

de qián xíng
地前行。

　　海底非常静谧，借助探照灯，灯笼鱼艇小心前行。终于，越来越黑了。"到了吗？已经很黑了。"皮医生再次询问。

　　"还没有呢，我们刚刚进入了暮光区。"巴克队长答道。

　　"午夜区在更深……更黑……的地方。"呱唧看着皮医生，故意拖长尾音，夸张地补充着巴克队长的话。这下可把皮医生给吓坏了。

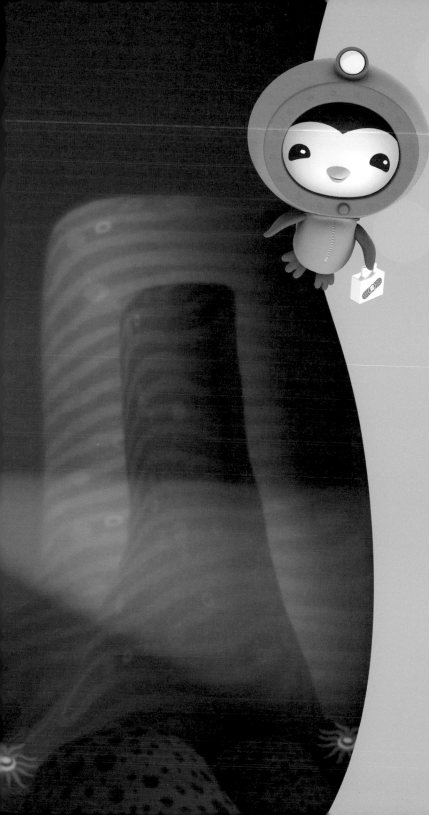

又经过一段时间的航行后，巴克队长终于告诉大家："已经到达午夜区。"这里真是太黑了！队员们不得不打开深海专用探照灯。灯一打开，几道亮光射出来，周围马上就变得很亮了。

在探照灯的照射下，巴克队长驾驶着灯笼鱼艇小心前行。

这时，皮医生被什么声音吓到了。巴克队长安慰他，"不用紧张，这是灯笼鱼艇螺旋桨发出的声音。"

突然，警报器响了起来，谢灵通赶紧走上前去查看。"前面应该是有什么很烫的东西。"他判断道。

"我的老天爷呀！"呱唧又夸张地叫道。

"那是……烟……"巴克队长看了看告诉大家。

zài tàn zhào dēng de zhào shè xià   tā men hěn kuài jiù zhī dào le zhēn xiàng   yuán lái shì   hǎi dǐ
在探照灯的照射下，他们很快就知道了真相，原来是——海底

wēn quán   hǎi dǐ wēn quán shì shén me ne   pí yī shēng wèn dào
温泉！"海底温泉是什么呢？"皮医生问道。

tā xiāngdāng yú hǎi dǐ de huǒ shān   xiè líng tōng jiě dá dào
"它相当于海底的火山。"谢灵通解答道。

mǎ shàng jiù yào kāi shǐ zhí xíng
马上就要开始执行

rèn wu le yóu yú wēn dù yuè lái yuè
任务了，由于温度越来越

gāo wèi le ān quán qǐ jiàn bā kè
高，为了安全起见，巴克

duì zhǎng fēn fu dà huǒ er chū fā qián dài
队长吩咐大伙儿出发前戴

shàng shēn hǎi qián shuǐ tóu kuī
上深海潜水头盔。

yí qiè zhǔn bèi jiù xù dà jiā
一切准备就绪，大家

lù xù cóng dēng long yú tǐng li chū lai
陆续从灯笼鱼艇里出来，

yóu xiàng guǎng mào shén mì de wǔ yè qū
游向广袤神秘的午夜区。

谢灵通指着身边一群陌生的小生物，兴趣盎然地给大家解说道："这是一群管虫，只有午夜区会有。他们很有趣。"

83

　　"啊！看那儿！"突然，皮医生发现不远处有一个庞大的东西，看起来非常奇特。"那只是一块石头。"谢灵通好像早就知道了。

　　"抱歉，谢灵通。"皮医生感到有些不好意思。

<ruby>谢灵通<rt>xiè líng tōng</rt></ruby> "<ruby>谢灵通<rt></rt></ruby>，<ruby>石头上的小洞是怎么回事儿啊<rt>shí tou shang de xiǎo dòng shì zěn me huí shì er a</rt></ruby>？" <ruby>过了没多久<rt>guò le méi duō jiǔ</rt></ruby>，<ruby>皮<rt>pí</rt></ruby>

<ruby>医生又发现了一个奇怪的东西<rt>yī shēng yòu fā xiàn le yí gè qí guài de dōng xi</rt></ruby>，<ruby>他兴奋地呼唤着队友<rt>tā xīng fèn de hū huàn zhe duì yǒu</rt></ruby>。

"<ruby>真奇怪<rt>zhēn qí guài</rt></ruby>，<ruby>我见过这种石头<rt>wǒ jiàn guò zhè zhǒng shí tou</rt></ruby>。" <ruby>谢灵通边说边将书翻到石头这一<rt>xiè líng tōng biān shuō biān jiāng shū fān dào shí tou zhè yí</rt></ruby>

<ruby>页<rt>yè</rt></ruby>，"<ruby>但我不知道这些洞到底是怎么来的<rt>dàn wǒ bù zhī dào zhè xiē dòng dào dǐ shì zěn me lái de</rt></ruby>。"

zhè shí　　bā kè duì zhǎng hé guā jī　yě gǎn guo
这时，巴克队长和呱唧也赶过
lai le　　zán men qǔ　yí kuài yán shí dāng biāo běn ba
来了。"咱们取一块岩石当标本吧！"
bā　kè　duì zhǎng shuō dào　　　wǒ qù ná qiē gē jī
巴克队长说道。"我去拿切割机。"
guā jī　zǒng shì　zhè me yǒu xíng dòng lì
呱唧总是这么有行动力。

86

　　bú guò　　　　zhè ge shí tou kě bù hǎo qiē gē　　bā
不过，这个石头可不好切割，巴

kè duì zhǎng hé guā jī lún liú shǐ le hǎo dà de jìn er
克队长和呱唧轮流使了好大的劲儿，

cái qiē chu lai yì xiǎo kuài　　kě shì　　zhè kuài shí tou shuāi
才切出来一小块。可是，这块石头摔

zài dì shang　　suì chéng le liǎng bàn
在地上，碎成了两半。

　　yì tiáo lù sè de xiǎo chóng zi zài qiē chu lai de shí
一条绿色的小虫子在切出来的石

tou li chuān lái chuān qù　　bú guò　　yóu yú guāng xiàn tài
头里穿来穿去，不过，由于光线太

àn　　dà jiā dōu méi yǒu zhù yì dào
暗，大家都没有注意到。

xiè líng tōng jiǎn qǐ yí kuài shí tou　　ná qǐ fàng dà jìng　　cháo shí tou kàn le kàn　　ńg　hǎo xiàng

谢灵通捡起一块石头，拿起放大镜，朝石头看了看，"嗯？好像

yě méi yǒu shén me　　lìng yí kuài zài nǎ er ne

也没有什么，另一块在哪儿呢？"

pí yī shēng gǎn jǐn jiǎn qǐ lìng yí kuài shí tou　　dì gěi le xiè líng tōng　　zhè shí　　bā kè duì zhǎng

皮医生赶紧捡起另一块石头，递给了谢灵通。这时，巴克队长

tí xǐng dà jiā děi gǎn jǐn huí qu　　yīn wèi dēng long yú tǐng kuài méi diàn le

提醒大家得赶紧回去，因为灯笼鱼艇快没电了。

回到章鱼堡之后，突突兔充满期待地问道："快告诉我，你们找到新的物种了吗？"

"唉，没有。"谢灵通因为无功而返，感到很失落。

"但我们找到一块有很多孔的石头。"皮医生将那块包裹得很严实的石头拿出来，放在桌上。

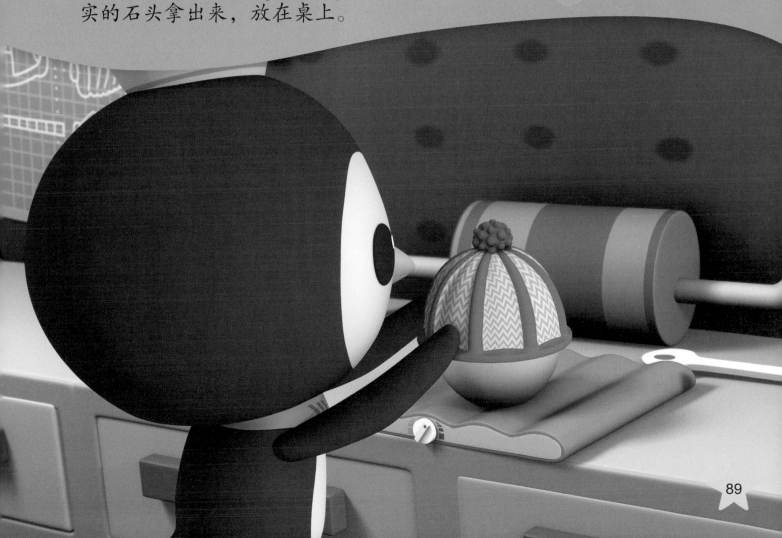

突突兔迫不及待地围了上来。这时，那条绿色的小虫子突然在孔里跳来跳去，吓了突突兔一跳。

"我觉得这里面住了一个小东西。"突突兔紧张地说道。谢灵通拿出放大镜，仔细瞅了瞅。

xiǎo chóng yòu yí cì tiào le chū lái diào dào dì shang tū tū tù xiǎo xīn de jiāng tā chóng xīn fàng huí
小虫又一次跳了出来，掉到地上。突突兔小心地将他重新放回

shí tou shang bìng gào su xiǎo chóng tā xiàn zài zhèng zài zhāng yú bǎo zhōng
石头上，并告诉小虫，他现在正在章鱼堡中。

wǒ   wǒ de fáng zi   tā suì le xiǎo chóng shāng xīn de shuō
"我……我的房子……它碎了！"小虫伤心地说。

bié dān xīn xiǎo jiā huo wǒ men hěn kuài jiù huì xiū hǎo tā tū tū tù jí máng ān wèi tā
"别担心，小家伙，我们很快就会修好它！"突突兔急忙安慰他。

91

"好啊，但是得快点儿，我好冷！"小虫感到非常不适应，"而且这里的光线也好刺眼。"为了让小虫尽快回家，大伙儿马上开始为小虫修葺房子。

他们努力了很多次，小虫还是无法走通里面的小隧道。

突突兔猛然想到了问题的关键："我们都是在石头外面想办法，我觉得我们需要了解石头里面的结构！"

93

达西西在小虫身上装了一个迷你相机，这样就可以通过屏幕看到石头里面的样子。

小虫重新进入石头里面，通过观察小虫爬行的轨迹，大家调整着两块石头的位置，直到连接了所有的隧道。

突突兔仔细地在裂口处涂了一圈胶水，小虫的房子完好如初。很快，巴克队长带领大家将小虫送回了午夜区。

94

95

　　　　　hǎi dǐ xiǎo zòng duì　huān yíng nǐ men zài lái　　　　dào dá mù dì dì zhī hòu　xiǎo chóng fēi cháng
"海底小纵队，欢迎你们再来！"到达目的地之后，小虫非常

　gǎn jī de duì dà huǒ er shuō　　　pí yī shēng　　wǒ men zài hēi hēi de wǔ yè qū duō le wèi xīn péng you
感激地对大伙儿说。"皮医生，我们在黑黑的午夜区多了位新朋友。"

　bā kè duì zhǎng hěn shě bu de xiǎo chóng
巴克队长很舍不得小虫。

　　　xià miàn què shí hěn hēi　　dàn yì diǎn er yě bù kě pà　duì zhǎng　　pí yī shēng bǔ chōng dào
"下面确实很黑，但一点儿也不可怕，队长！"皮医生补充道。

96

"还有，你在这本指南里有了专属页面！"谢灵通将书本翻到对应的页面给小虫看。

小虫因为有这群朋友而高兴。

97

欢迎进入本期海底报告，这次我们要介绍的是**午夜区**！

午夜区在深深海底下
全世界最黑暗的地方
许多小动物最爱的家
有些现在没人认识它
午夜区里你会发现
海底热泉就像活火山